I Libri della Buonanotte

Mamma, RACCONTAMI UNA STORIA!

Matt Wolf

⊙ DAMI EDITORE

Questo libro appartiene a:

mamma Riccio racconta...

Onte Bollonte

A Bubi Orsoni piaceva giocare. E gli piaceva anche sporcarsi tutto. Quando tornava a casa, mamma orsa sospirava:
- Non è ora di fare un bel bagno?
- E perché? - si stupiva l'orsetto, mentre con fare distratto si metteva un dito nel naso. - Il bagno mi annoia. E non mi piace neanche il bagnoschiuma. Puzza troppo di pulito.
La signora Orsoni, stanca di vedere il suo piccolo sempre sporco, un giorno andò a cercare un famoso negozio di erboristeria dove un folletto preparava intrugli miracolosi.

- Si chiama "Pic-N.I.C." - si sforzò di ricordare mentre usciva. Lo trovò e notò sotto l'insegna una scritta che diceva: "Dal folletto Pic-N.iente I.mpossibile C.'è". Entrò e vide un tale che sembrava in tutto e per tutto un folletto. - Lei cerca me, signora Orsoni - disse Pic senza lasciarla parlare.
I folletti, si sa, leggono nel pensiero.

- Ecco… vede… io… - iniziò lei confusa.

Pic le porse una boccetta. - Ecco Onte Bollonte, il più meraviglioso bagnoschiuma che sia mai esistito: assolutamente irresistibile. Lo provi!

- Onte Bollonte? - chiese la signora Orsoni con sorpresa.

- Puro estratto di acarofonte: un concentrato di magia. Una sola goccia nella vasca da bagno e… vedrà che bolle!

La signora Orsoni prese la bottiglietta e tornò a casa. Quel pomeriggio, quando Bubi rientrò, trovò la mamma davanti alla porta del bagno.

- Non vorrai lavarmi a tradimento, vero? - gridò, e già stava per darsela a gambe, quando sentì un profumo che sapeva di caramella ma anche di cioccolato e di vacanze al mare. Veniva dalla vasca da bagno.

Bubi si avvicinò all'acqua, toccò la schiuma e... - Sembra panna montata, - disse, e subito aggiunse - forse farò un piccolissimo microscopico bagnetto.

L'orsetto entrò, sollevando una nuvola di bolle di sapone. Il folletto Pic, che, non visto, guardava la scena, pronunciò

allora le parole magiche: - Ribolla babolla o bolla bollonza. Subito le bolle iniziarono a prendere vita. Una mise il becco e le ali e iniziò a volare, un'altra si stropicciò un pochino e, da tonda che era, divenne quadrata.

Poi arrivarono una sfilata di saponette e di bottiglie di bagnoschiuma. Bubi non credeva ai suoi occhi. - Che meraviglia! Non mi sono mai divertito tanto. Ehi voi! - gridò a due strani tipi. Erano Dottor Sapone e Ingegner Bagnoschiuma, che subito si avvicinarono.

- Bubi no puli no bulla? - chiese Ingegner Bagnoschiuma.

- Cosa? - domandò Bubi.

- Ma è vero che non vuoi lavarti? - tradusse Dottor Sapone, che conosceva le lingue. L'orsetto annuì.

- Bullizetai bulla? - continuò Ingegner Bagnoschiuma.

- Ti piacciono le bolle? - ripeté Dottor Sapone.

- Come si dice: "Sì, mi piacciono"? - chiese Bubi.

- Bullizomai bulla - tradusse Dottor Sapone.

- Bubi puli bulla? - tagliò corto Ingegner Bagnoschiuma.

- Dice: "E allora cosa aspetti a lavarti e a divertirti?" - concluse Dottor Sapone.

- Come si dice: "Mi diverto?" - chiese Bubi.

- Bulla! - rispose Dottor Sapone.

- E allora bulla buuuulla buuuuuuuulla - gridò l'orsetto.

La mamma, quando vide Bubi tutto bello e profumato, pensò tra sé e sé: - Grazie, folletto Pic.

E in quel momento una voce dal nulla rispose: - Prego, non c'è di che. - Era Pic che, come sempre, aveva sentito.

Da quel giorno Bubi divenne un cucciolo pulitissimo e profumatissimo. E, con il piccolo aiuto di Onte Bollonte, più si lavava, più si divertiva.

Una casa per Ronfo il ghiro

L'estate era finita, nella Foresta delle Sette Querce. Tutti gli animali si preparavano al grande sonno dell'inverno e già tiravano fuori dagli armadi i pigiami di lana.

Ma qualcuno era disperato: Ronfo il ghiro, che vagava in camicia da notte, con in mano un cuscino.

- Ehi, che c'è? - gli domandò Toto lo scoiattolo.

- Il mio albero è stato abbattuto e non ho più una casa - disse Ronfo mentre si allontanava avvilito.

- Costruiamo una casa per Ronfo! - suggerì Ugo la coccinella. - Buona idea! - commentò Gerico il topo.

Gli animali andarono dallo gnomo Spitz, che faceva l'architetto. - Sì, non c'è problema - disse Spitz. - Giusto ieri, mentre passeggiavo, ho trovato qualcosa di adatto a diven-

tare la casa di un ghiro: una lattina di fagioli vuota!

Si mise subito a disegnare e presto il progetto finale fu pronto: la lattina si era trasformata in una villetta per ghiri.

- Bella! Mettiamoci all'opera! - esclamarono gli animali.

Quando vide la nuova casa, Ronfo si commosse.

- È semplicemente meravigliosa!

Quella sera ci fu il più grande party nella storia della foresta. All'alba fu tempo di saluti: - Ci vediamo in primavera! - E tutti entrarono in letargo.

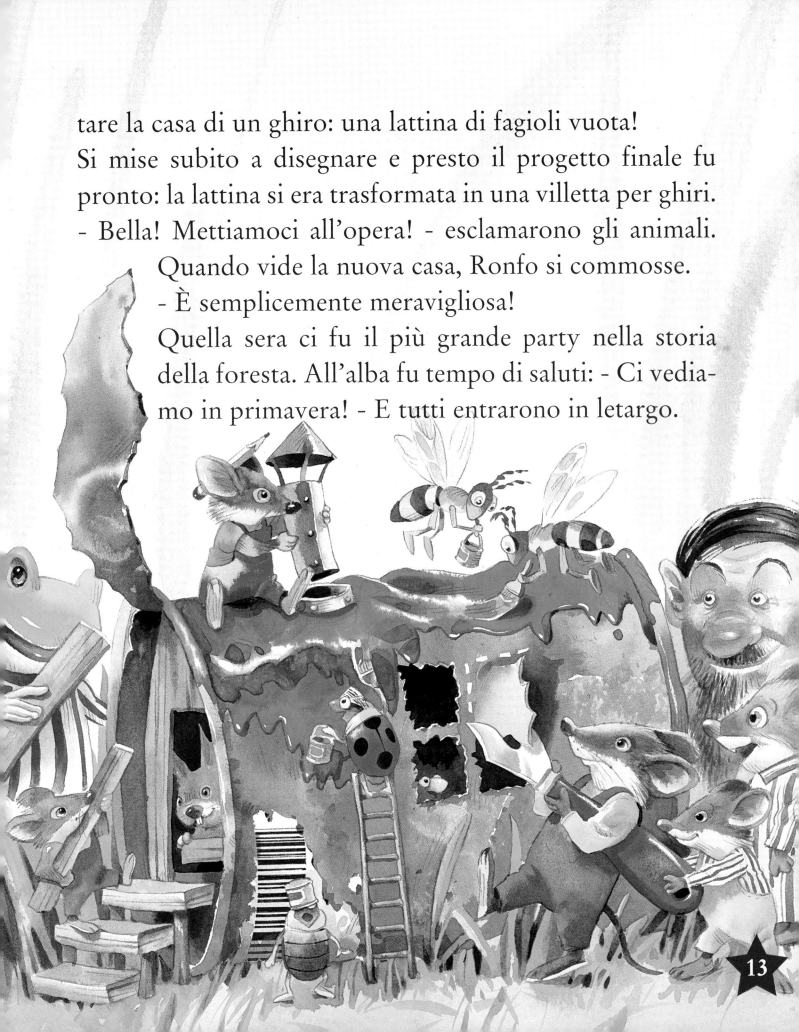

I gatti della fortuna

Nel lontano regno di Micionia c'era un piccolo esercito di gatti che abitava in un posto pieno di pavimenti e colonne, ma senza muri: era l'antico tempio di Argaia, la dea della fortuna.

Vivevano in pace e si dividevano il cibo che gli abitanti di Micionia, che a quel tempo erano poveri, portavano loro ogni giorno. I gatti seppero ripagare tanto affetto e, con l'aiuto di Argaia, Micionia divenne un regno molto ricco e potente. Fu allora che re Canino III si convinse che il tempio doveva diventare un parco archeologico e decise di liberarsi dei gatti.

Il popolo di Micionia, che pensava di non aver più bisogno di fortuna, si era radunato sotto le finestre della reggia e urlava: - Via i gatti! Via i gatti!

- Che i sacchi di pulci siano cacciati dal mio tempio! - ordinò re Canino. - Chi si offre per questo compito?

Tutti, ora che erano ricchi e fortunati, non vedevano l'ora di mandare via i poveri felini. Chiedevano questo onore generali e soldati, conti e baroni, commercianti e contadini, che avevano dimenticato da dove erano giunti gli abbondanti raccolti, i buoni affari, le vittorie e i successi.

Canino decise infine di andarci di persona. Era o non era il re? Allora l'onore spettava a lui!

Si infilò il mantello e la corona e andò diritto al tempio. - Vi ordino di andarvene! - disse ai gattoni di Argaia. Il loro sguardo si fece triste, ma nessuno disse niente. Se ne andarono in fila indiana, senza sapere dove. Argaia, che guardava la scena dall'alto, si infuriò.

- Ingrato, è così che tratti i miei piccoli?

Quella stessa notte la dea inviò in missione la fatina Metamusa che, a cavallo del fedele Sghiribizzo, svegliò il re che dormiva beato. - Argaia, la mia signora, ti ordina di richiamare indietro i suoi gatti! - comandò.

- Nemmeno per sogno! Io sono il re e faccio come mi pare!
- rispose Canino, cercando di allontanare la piccola fata con la mano, come si fa con una mosca.

- Come vuoi! - disse Metamusa mentre si allontanava.

La fortuna abbandonò Micionia e tutto iniziò ad andare male, ma davvero male: cattivi raccolti, epidemie di influenza e altre disgrazie si abbatterono sul regno. Gli abitanti di Micionia, ormai poveri, infelici e ammalati, iniziarono a comprendere l'errore e una sera andarono in corteo sotto le finestre della reggia. - Rivogliamo i gatti! - gridavano disperati.

- Cosa faccio? - si chiese il re, che se ne stava a letto a fissare il soffitto. Aveva due possibilità: farli tornare e ammettere la sua colpa o lasciarli dov'erano e condannare i suoi sudditi alla rovina.

Poi si illuminò e... - Sono un povero sciocco! - sbottò, mentre si precipitava alla carrozza reale, che subito partì.

Il cocchiere raggiunse i confini del regno e, dopo lunghe ricerche, trovò la colonia dei gatti del tempio: erano tutti sporchi, magri e tristi, ma non si lamentavano. Li invitò a salire:

- Si torna a casa! - I gatti si stiparono ovunque sulla car-

rozza e tornarono a Micionia. All'arrivo trovarono ad attenderli una folla di gente festante e, davanti a tutti, re Canino III.

- Abbiamo fatto un grosso errore. Chiediamo perdono! - dissero tutti. Da allora non passò giorno senza che Canino e i suoi sudditi portassero qualcosa di buono ai gatti del tempio, che diventarono belli come non mai. I mici come sempre non dissero niente, ma la fortuna tornò a sorridere al regno di Micionia. Solo a volte sembrava di veder sorridere quei cari felini. Ma, si sa, i gatti non ne sono capaci.

Una coda per Kurbàt

Kurbàt era un corvo nero, anzi nerissimo. Talmente nero che persino al buio lo si vedeva benissimo, perché era più scuro anche della notte. Intorno a lui vivevano gli uccelli più colorati del mondo. Kurbàt era amico di tutti, soprattutto di Bulki il pappagallo. Era sempre allegro e solo ogni

tanto si metteva in un angolo e sospirava. Bulki, che era un buon osservatore, se ne accorse.

- Che, c'è, amico? Perché sei triste?
- È per via della coda. Voi avete delle belle code lunghe e colorate e io invece... Guarda! - disse mostrando la sua codina corta e spennacchiata.

Bulki ci pensò sopra e gli venne un'idea. Volò da Lallo il parrucchiere della foresta e gli chiese di fabbricare una coda con una manciata di penne avanzate. Poi andò da Kurbàt e... - Eccoti servito! - gli disse porgendogli il suo dono. Kurbàt ora aveva la coda più bella di tutte, o almeno a lui pareva, perché era il regalo di un amico.

Due casi per il grande Fizz

Geremia Fizz era un gran bravo dottore, tanto che tutti lo chiamavano il grande Fizz. Anche quel giorno, come sempre, la sua sala d'attesa era affollata.
- Grazie, dottore! - disse Anacleto il coniglietto, che per una caduta si era rotto una gamba e piegato le orecchie.

- Ci vediamo la prossima settimana - lo salutò Fizz dalla
porta del suo studio. - Avanti il prossimo! - Ma nessuno si
mosse. - Il prossimo! - ripeté un po' spazientito.

- Sono qui davanti al tuo naso, Geremia. Ma quando ti decidi a cambiare gli occhiali? - urlò Pepe l'ape, che era venuta a farsi togliere il gesso dalla zampina destra.
- Ti ho visto benissimo. Stavo scherzando. - disse Fizz, che era molto miope, ma non voleva ammetterlo.

Dopo Pepe ci furono Gino il rinoceronte, che aveva investito un camion, Zizi la scimmietta, che si era chiusa la zampa in una bottiglia, Billo il coccodrillo con il mal

di denti, Artemio il boa, che aveva inghiottito una scatola da scarpe, Artica la foca, che soffriva di reumatismi.

Poi Fizz fece la solita trasfusione di succo di ribes rosso a Nottarello il pipistrello, staccò una lattina dalla lingua del camaleonte Martino, medicò una zampa ferita a Zap il topo e un taglietto sulla coda a Giacomino la mangusta.

- E anche per oggi ho finito! - sospirò. Ma, mentre si sfilava il camice, nel suo studio entrarono il signore e la signora De Pecaris. - Ci aiuti, dottore! - lo supplicarono.

- Cosa succede? - si allarmò Fizz.

- Si tratta di Felicetto, nostro figlio. È sempre triste e solo, e non vuole fare niente altro che studiare. Oggi gli abbiamo messo davanti un chilo di cioccolato e un piatto di minestra e lui... - continuò mamma facocero tra i singhiozzi - lui ha mangiato la minestra!

- Non possiamo più vederlo così, dottore! Pensi che si ostina a non guardare la televisione: dice che preferisce fare i compiti! Noi siamo contenti che sia serio, ma così è troppo. Vogliamo vederlo ridere!

- Un caso lampante di musonite acuta! Vediamo... Proviamo con questo! - disse Fizz prendendo dallo scaffale una scatola di Ridarol extra forte. I signori De Pecaris tornarono a casa e diedero a Felicetto la medicina. Ma il piccolo facocero continuò a essere triste.

        - Forse ci vuole un po' di tempo! - suggerì il papà.

        - Allora aspettiamo! - sospirò la mamma.

        I giorni passavano, ma non si vedeva

alcun risultato: anzi, pareva che la cura, invece di rendere allegro Felicetto, gli facesse proprio l'effetto contrario.

Qualche giorno dopo nello studio del dottor Fizz entrarono la signora e il signor Scimmiotti.

- Nostro figlio Severino ride sempre. Di tutto e di tutti: dei suoi compagni di scuola, della maestra e di noi. Oggi ha preso in giro persino il povero nonno - disse la mamma disperata.

- È diventato insopportabile e ormai nessuno vuole più stare con lui. Neppure noi, per essere sinceri! - continuò il papà. - A scuola non fa niente. A casa passa tutto il tempo davanti alla televisione.

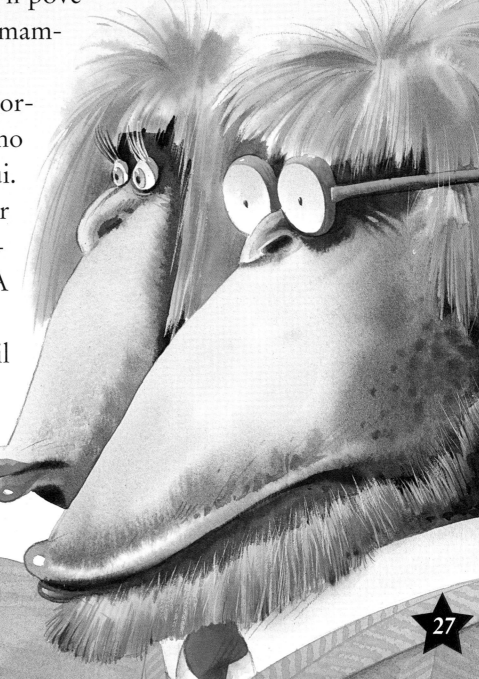

- E poi mangia solo torte e cioccolato! - concluse la mamma - Mai una bistecca, mai un piatto di minestra…
- Vostro figlio soffre di allegrite molesta! Dategli un cucchiaio di Sob Sic due volte al giorno prima dei pasti.

I genitori fecero così, ma Severino non smise di ridere.
- Dobbiamo chiamare il dottor Fizz! - dissero infine i De Pecaris, sempre più disperati.
- Qui ci vuole Fizz! - decisero i signori Scimmiotti.

Il Dottor Fizz ricevette le due telefonate a distanza di pochi minuti.
- Felicetto è sempre triste!
- Severino non smette di ridere!

Fizz si illuminò: - Trovato! I due piccoli si sentono soli. Se diventano amici, forse a Felicetto verrà voglia di ridere e a Severino di studiare. Perché non ci ho pensato prima? Convocò subito i genitori dei due, che trovarono l'idea di Fizz assolutamente geniale. E infatti funzionò. Si capì subito che quei due erano nati per essere amici. Iniziarono a giocare e a studiare insieme. Severino imparò a mangiare la minestra e Felicetto il cioccolato. E l'amicizia li guarì. Per la gioia di tutti: dei due piccoli, dei genitori e del grande Fizz.

LA NINNA-NANNA
DI MAMMA RICCIO

Quando sale il fiume in piena
un boato si scatena.
Se un gran vento
il bosco squassa
rami volano a man bassa.
Se la pioggia è spaventosa
mai nessuno si riposa.

Tutto è calmo, ora, tace,
niente accade che non piace.
Scende il fiume lento lento
non c'è pioggia, non c'è vento
non c'è fulmine né tuono.
Solo un caldo e bel lettino
per il mio piccolino.

Sogni d'oro!

mamma Canguro racconta...

Girasoli a Bagnazzia

A Bagnazzia era tornata l'estate e, come al solito, pioveva. Niente di strano, perché a Bagnazzia pioveva sempre.
In nessun altro posto si vendevano tanti ombrelli e tante medicine per il raffreddore.

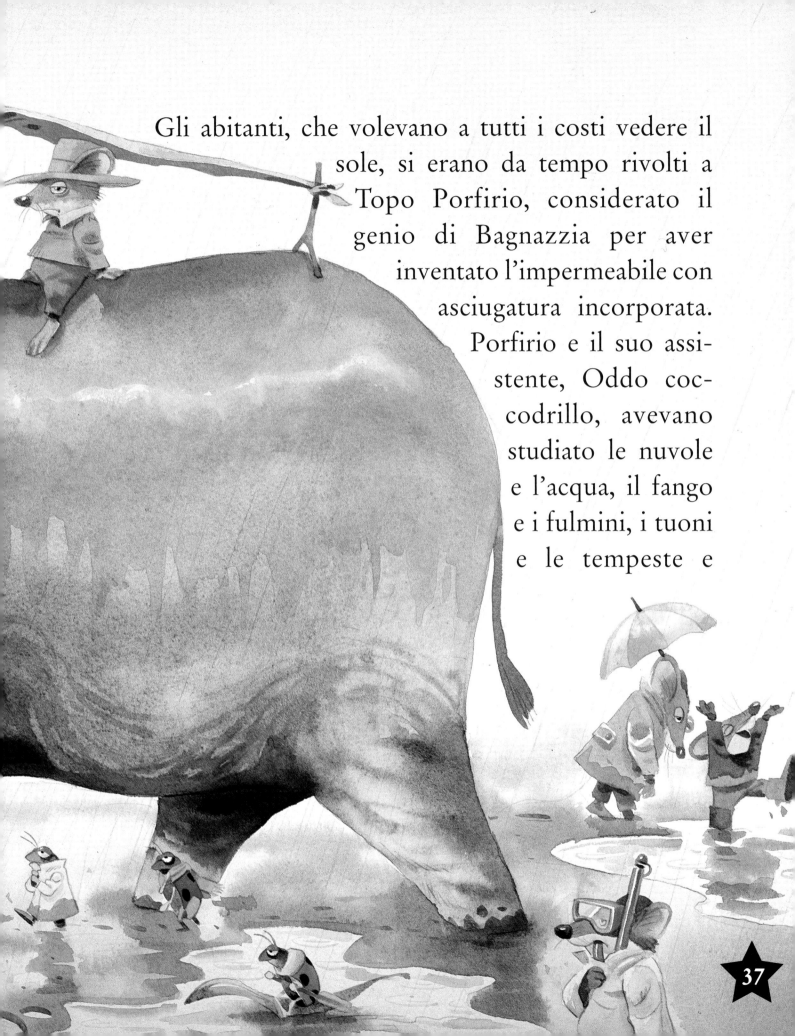

Gli abitanti, che volevano a tutti i costi vedere il sole, si erano da tempo rivolti a Topo Porfirio, considerato il genio di Bagnazzia per aver inventato l'impermeabile con asciugatura incorporata. Porfirio e il suo assistente, Oddo coccodrillo, avevano studiato le nuvole e l'acqua, il fango e i fulmini, i tuoni e le tempeste e avevano imparato tutto sull'argomento. Una cosa non erano riusciti ancora a scoprire: come far smettere di piovere una volta per tutte.

- Ho trovato la soluzione, Oddo! - disse un giorno Porfirio al suo assistente. - Ti presento lo spaventanuvole!

- A me sembra lo spaventapasseri di Marino il riccio! - osservò Oddo - solo che è più giallo e più rotondo.

- È vero, me l'ha dato Marino. Ma io l'ho modificato: non vedi che adesso è a forma di sole?

- Non mi sembra una grande idea! - concluse Oddo.

Porfirio a quel punto era un po' depresso e decise di andare in biblioteca per distrarsi un po'. Lì, sfogliando un libro di fiabe, trovò quello che per tanto tempo aveva cercato.

- Irene la fata! Ecco chi risolverà il nostro problema! - gridò, mentre andava di corsa al laboratorio. Quando sentì la novità, Oddo scosse la testa: - Quest'idea mi sembra anche peggio di quella dello spaventanuvole!

Ma Porfirio lo stava già trascinando in strada.

- Bisogna dire: Irenò, Irenà, Irenì vieni qui!

- Che vergogna! - sospirò Oddo. Ma in quella...

- Chi mi chiama? - disse una voce meravigliosa. Era Irene.

Tutto intorno s'era radunata una folla di curiosi.

- Irene, qui piove sempre. E noi vogliamo il sole! - confessò Porfirio senza esitazione.

- Tutto qui? Piantate questi - disse Irene porgendo una manciata di semi - e vedrete… - Detto questo scomparve.

- Ma certo, come ho fatto a non pensarci prima? - si illuminò Porfirio, mentre fissava il dono della fata.

- Cosa sono? - domandò il coccodrillo.

- Semi di girasole! - rispose Porfirio.

Oddo non era convinto - Era meglio lo spaventanuvole…

Gli abitanti di Bagnazzia piantarono i semi e aspettarono. Presto la terra non fu più coperta di fanghiglia, ma divenne un tappeto di fiori gialli. E finalmente venne il sole.
- Che meraviglia per le mie vecchie ossa! - diceva Porfirio crogiolandosi al calduccio.

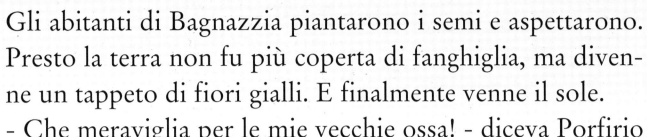

- Avevi ragione! - ripeteva Oddo mentre prendeva la tintarella. Tutta Bagnazzia era lì con lui. Ormai la pioggia era solo un ricordo: ombrellai e farmacisti iniziarono a vendere occhiali scuri e creme solari.

Il gallo dormiglione

A Crispino il gallo piaceva dormire. Non si alzava all'alba per svegliare gli animali della fattoria. Anzi, erano gli animali della fattoria che, quando il sole era già alto, dovevano svegliare lui.

Billo e Lillo, i due topolini, dovevano salirgli sulla pancia e gridare: - Sono le dieci!
Allora Crispino apriva a fatica un

occhio e faceva il chicchiricchì più assonnato del mondo. Gli animali, stanchi di alzarsi tardi, fecero una riunione.

- Dovremmo mandarlo via, ma... - disse Beba la pecora.

- ... ma Crispino è tanto buono e caro... - aggiunse Billo.

- ... che non ne avremo mai il coraggio... - concluse Lillo. - E perché invece non gli diamo un premio?

- Che dici? - chiesero tutti.

- Sì, un premio che faccia contento lui, ma anche noi: una sveglia! L'idea piacque a tutti.

Il gallo si commosse per il dono e lo mise subito al collo.

- Non la toglierò più!

Da quel giorno svegliò tutti alle sette in punto. Tanto poi lui poteva tornare a dormire...

L'uccellino gigante

In un prato immenso, proprio vicino a un piccolo villaggio di uccellini, un giorno capitò un uovo enorme.
Quando lo videro, tutti rimasero a becco aperto per lo stupore. - È davvero gigantesco! - disse Gedeone il piccione.

- Mai visto nulla di simile! - osservò Rosso il pettirosso.
Lo covarono tutti insieme e alla fine nacque il più grosso
uccellino che si fosse mai visto da quelle parti.
- Ma che cos'è? - si chiesero osservandolo incuriositi.
- Credo sia uno struzzo - disse Bibi il passerotto.

- Grosso com'è, volerà veloce e in alto come un angelo. Lo chiameremo Cherubino! - propose Gedeone.

Lo struzzo divenne un gigante, ma anche un gran fifone. Tutto lo spaventava e, quando aveva paura, nascondeva la testa sottoterra. Oppure correva via. Sì, perché Cherubino nella corsa era veloce come il vento.

Un uccello però deve volare e suoi amici avevano cercato di insegnarglielo. Ma era stato inutile: le sue ali erano troppo piccole per sostenerlo e lui non si era mai alzato da terra più di qualche centimetro. Ogni volta che provava a sollevarsi in volo, Cherubino cadeva al suolo con un tonfo.

Gli uccellini ridevano: - Ah, ah, sei un disastro!

Un giorno Cherubino stava sdraiato sul prato, con il lungo collo adagiato sull'erba. - Perché devo essere così inadatto alla vita da uccello? Non so volare - sospirava. - Non servo proprio a nulla!

In quel momento notò che il cielo sopra i nidi degli uccellini si faceva scuro. Sollevò la testa e vide le immense ali di un uccellaccio che volteggiava in cerca di cibo. E capì che il cibo, ahimè, stavolta erano proprio i suoi piccoli amici.

- Aiuto! È Algarve! - gridavano gli uccellini terrorizzati. S'erano accorti tardi del pericolo e ormai non avevano più

via di scampo. Algarve stava scendendo in picchiata. Allora Cherubino capì cosa doveva fare e, per la prima volta in vita sua, non ebbe paura. Si alzò in tutta la sua statura e attese l'arrivo di Algarve. Gli uccellini, impauriti, si erano rifugiati dietro la zampona dello struzzo.

- E tu chi sei? - gridò l'uccellaccio quando alla fine si trovò davanti quell'enorme animale.

- E tu cosa vuoi? - urlò Cherubino minaccioso.

- Niente, passavo... - balbettò la malcapitata.

- Sparisci! - tagliò corto Cherubino.
Algarve fece una rapida inversione e si allontanò a tutta velocità.

- Ci hai salvato! Sei un vero eroe! - esultarono gli uccellini, che lo portarono in trionfo e gli diedero una medaglia: "A Cherubino, che, anche se non vola, è un angelo lo stesso!".

Vally il koala timido

Vally il koala era molto timido. Così timido che era difficile vederlo tutto intero. Solo i più fortunati potevano
intravedere i suoi occhi scuri e il suo nasino nero dietro le
foglie di un eucalipto. Vally, da dietro il suo nascondiglio,
guardava gli animali giocare.
- Poverino! Ci guarda sempre dal Grande Eucalipto! -
disse un giorno Pepa la scimmietta. Perché non facciamo
qualcosa per aiutarlo?

- Perché no? Conosco un dottore che ci può aiutare! - suggerì Rallo il pappagallo, che chiamò il grande Fizz, il dottore più famoso del mondo.

- Il teatro, ecco quello che ci vuole! Fatelo recitare e ritroverà la fiducia in se stesso - fu il responso di Fizz.

Gli animali costruirono un palco e lo addobbarono con

tutto quanto serviva. Vally li guardava,
senza sapere che erano tutti lì per lui.
Una volta che ebbero finito, lo invitaro-
no: - Vieni fuori, dai, non ti vergognare.
Abbiamo preparato qualcosa per te. -
dissero mostrandogli un abito di
scena. Vally pensò che non poteva più
nascondersi. Allora indossò il costu-
me e, per fare contenti coloro che tanto
avevano lavorato per lui, iniziò a fare qualcosa che non aveva mai fatto: recitare. Alla fine
ci furono solo applausi e grida di entusia-
smo: - Bene! Bravo! Bis!
Fu così che Vally iniziò la sua
grande carriera di attore.

La pazienza del coniglio

Quando il grosso camion passò sulla strada che costeggiava il bosco, nessuno ci fece caso: era una cosa che accadeva ogni giorno.
Un piccolo albero rotolò giù e attirò l'attenzione di qualche animale.
- Ah, un albero! - pensò Gelmo l'orso,

e tornò a grattarsi la schiena sulla corteccia di una quercia.
- Incredibile! Guarda cosa succede! - gridò Attilio il coniglio, che si entusiasmava per il più piccolo avvenimento.
- E che sarà mai? È solo un pezzo di legno! - osservò il cervo Ezio che, disturbato durante il consueto riposino, aveva aperto solo mezzo occhio.
- Nemmeno tanto bello! - aggiunse Bibo lo scoiattolo.
- Mi avvicino per vederlo meglio! - disse Attilio. Si avvicinò all'alberello e lo trovò effettivamente un po' spoglio: non aveva una foglia né un ramo, ma era vivo. - Lo pianterò e vedrò che succede - disse. Gli animali accolsero con disinteresse la notizia: volevano solo starsene in pace. Era ancora estate. Poi rapido venne l'autunno.

Attilio coprì la sua piantina con una coperta,
per proteggerla dal freddo.
Poi fu la volta dell'inverno. Attilio, invece di stare al
calduccio nella sua tana, dormiva ai piedi del piccolo
albero, che a lui non sembrava tanto piccolo.
- Perché ti ostini a stare dietro a questo legnaccio
secco?- gli dicevano gli animali, divertiti dall'ostina-
zione del loro amico.
- Prendetemi pure in giro. Io la mia pianta non la
abbandono - ripeteva Attilio con orgoglio. Ma faceva sempre più freddo... A peggiorare la situazione
ci si mise anche la neve: non ne era scesa tanta da
anni, da quanti Attilio ricordava.
- Probabilmente non se ne vedeva tanta da almeno un millennio! - si disse il coniglietto una notte
che era particolarmente infreddolito e avvilito.

Come ogni anno l'inverno sembrava non
dovesse mai finire, ma finì. Una mattina Attilio si svegliò
e vide che sull'albero era spuntato qualcosa. - Gemme! -
esclamò il coniglio soddisfatto. Non passò molto che la
pianta era tutta coperta di foglie verdi e sane.
- Ora hai un bell'albero tutto tuo! - ridacchiò
Bibo. - A cosa ti serva, non si sa.
Poi l'albero iniziò a riempirsi di palline rosse.
Ehi, sì, erano proprio ciliegie. Quando le
vide, Attilio tutto contento chiamò i suoi
amici: - Ecco a cosa serve il mio albero!
- Hai usato bene il tuo tempo! -
dissero gli animali ammirati.
- Ora i frutti sono tutti tuoi!
Ma Attilio era generoso e
divise le sue
belle ciliegie
con gli altri.

Le corna dell'Elialce

L'Elialce era un'alce di pezza dalle grandi corna. Quando si muoveva, gli altri giocattoli si preoccupavano parecchio. L'Elialce infatti si divertiva a distruggere tutto. Si lanciava

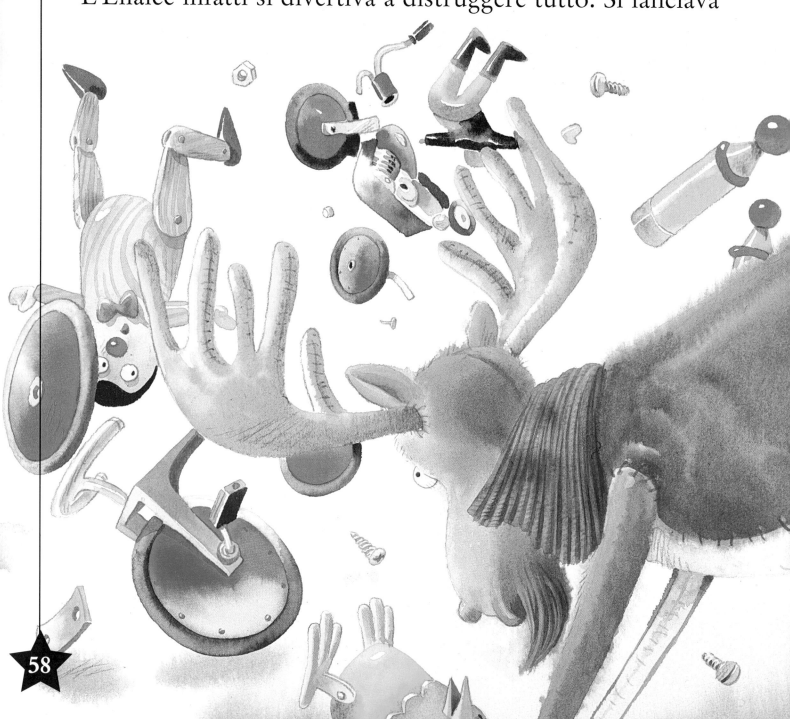

a tutta velocità contro gli altri giocattoli e, dopo averli colpiti, si lasciava andare sopra di essi con tutto il suo peso.

Un giorno, dopo che per l'ennesima volta aveva provocato un disastro, gli altri giocattoli, che per colpa sua erano ormai tutti rammendati e incollati e in qualche caso senza qualche pezzo, presero una decisione: - Basta! Dobbiamo fare la cosa che dicevamo - disse infuriato Poldo il cane a rotelle.

- Sì, non si può più rimandare! - annuì Pietrino il burattino con convinzione.

- Vero! - sospirò Martino il soldati-

no, che stava a terra tutto ammaccato.

Quella notte tutti aspettarono che l'alce fosse addormentata e fecero quello che avevano deciso: le tagliarono le corna e le buttarono via. Lo fecero a malincuore, perché sapevano che l'Elialce in fondo non era cattiva. Quando si svegliò, l'alce s'infuriò: - Chi ha preso le mie corna?

I giocattoli spuntarono da tutti i cassetti del comò. - Siamo stati noi! Guarda come ci hai ridotti! - la rimproverarono, mostrando i danni subiti. L'Elialce guardò quei poveri giochi tutti rotti e si pentì.

- Avete ragione! - disse - Solo ora che mi manca qualcosa comprendo cosa vi ho fatto!

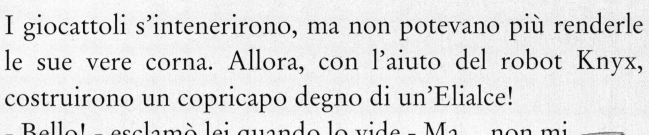

I giocattoli s'intenerirono, ma non potevano più renderle le sue vere corna. Allora, con l'aiuto del robot Knyx, costruirono un copricapo degno di un'Elialce!

- Bello! - esclamò lei quando lo vide - Ma... non mi farà tornare quella che ero?

- Non devi temere le corna che hai sulla testa, se non le hai nel cuore.

L'Elialce sorrise, perché sapeva che nel suo cuore non c'erano più corna.

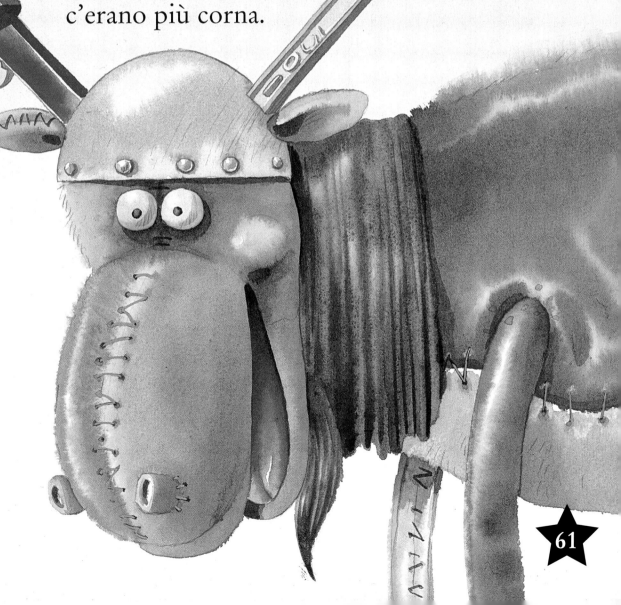

sssssh! silenzio...
il piccolo canguro
si è addormentato!

LA NINNA-NANNA
DI MAMMA CANGURO

Chiudi gli occhi,
si fa notte,
va la luna
in una botte.
Per dormire
più tranquilla,
non risplende
e più non brilla.

Chiudi gli occhi,
non c'è suono,
s'assopisce buono buono
anche il gallo mattutino
con l'uccello canterino.
Chiudi gli occhi
in questo blu,
addormentati anche tu.

Sogni d'oro!

mamma Orso racconta...

Il colore degli orsi polari

Quando gli orsi arrivarono al polo avevano il pelo scuro. Il ghiaccio come si sa era bianco. Così non potevano nascondersi dai cacciatori né pescare, perché, quando un pesce vedeva un muso nero che lo guardava da sopra il pelo dell'acqua, sapeva che doveva darsela a gambe, anzi a pinne. Insomma, gli orsi se la passavano male.

- Ho fame! - si lamentò l'orsetta Alba con mamma Bruna.

- Anch'io! - disse la mamma scavando un foro nel ghiaccio.

- Uh, guarda, non dirmi che stavi pescando - chiese Lika la foca spuntando dal buco. Le foche si divertivano un

mondo a prendere in giro i tentativi degli orsi di procurarsi da mangiare. - Non ti avrei proprio visto - continuò Lika - se non fosse stato per quel gran nasone nero e per tutto quel pelo arruffato che c'è intorno.

- Non sei divertente! - commentò Bruna.

- Non dar retta a Lika - suggerì Alba.

- Ah, se noi orsi fossimo chiari, allora tutto sarebbe diverso... - sospirò Bruna.

Mentre camminavano verso casa, Bruna e la piccola Alba videro precipitare dal cielo una strana cosa, che prima di scom-

parire gridò: - AIUTOOO!

- Certo c'è qualcuno in difficoltà! - pensò Bruna, che andò a cercare gli altri orsi. Insieme organizzarono le ricerche.

- Ehi, venite qui! - chiamò il vecchio orso Niro. - L'ho tro-vata! Tutti si avvicinarono e videro, prigioniera in un bloc-co di ghiaccio, una donnina con in testa un cappello a punta e in mano un legnetto che finiva con una stella.

- Deve avere tanto freddo, poverina! - disse Niro.

- Mettiamoci intorno a lei e scaldiamola con i nostri corpi - suggerì Bruna. Così il ghiaccio si sciolse e la signora si svegliò.

- Mi avete salvato. Sono la Fata Scolorina - si presentò e poi, guardando gli orsi, aggiunse: - Siete un po' scuri per vivere in un posto così bianco. E se vi scolorissi un po'?

- È il nostro più grande desiderio - confessò Bruna.

- Che il sogno desiderato sia un sogno realizzato! - disse la fata scuotendo la bacchetta.

Così gli orsi polari divennero bianchi come la neve. Da quel giorno riuscirono a nascondersi dai cacciatori e a pescare. E iniziarono a prendere in giro le foche.

Il coraggio di Rog

Rog e Mila si allontanavano sempre troppo dallo stagno, per due ranocchi della loro età.
- Con gioia viaggiam! Con coraggio esploriam! - canticchiavano in un pomeriggio di sole, mentre vagavano per il bosco.
All'improvviso Mila gridò: - Sono rimasta impigliata in un'erbaccia!
Dietro di loro, attorcigliato a un tronco, li fissava il serpente Filone. Già assaggiava con gli occhi lo

spuntino anfibio che per caso gli era capitato davanti.

- Dai, Rog, aiutami a liberarmi! - lo invitò Mila, che non aveva notato il serpente. Rog, che aveva visto bene quel brutto coso strisciare verso l'amica, ebbe paura e fuggì.

- Che fai? - chiese la ranocchia. Poi vide il serpente e, terrorizzata, cominciò a supplicare: - Rog, ti prego, aiutami!

Il ranocchio era ormai troppo lontano per sentirla. Udì però qualcuno che diceva: - Mi sbaglio o eri tu che cantavi "Con coraggio esploriam"? Invece sei solo un fifone!

Rog si guardò intorno, ma non vide nessuno. La voce infatti veniva da dentro: era la sua coscienza che gli parlava.

- Mi vergogno di far parte di te! - continuò.

Rog, anche se era certo di essere una rana, si sentì un tale

verme che tornò subito da Mila. Quando arrivò, Filone era dietro di lei con la bocca già spalancata.

- Sapevo che saresti tornato! - esclamò Mila mentre veniva liberata. I due fuggirono a grandi balzi, ridendo: entrambi si sentivano più leggeri. A Filone non restò che addentare i fili d'erba che fino a un attimo prima imprigionavano Mila.

- Oggi mi va qualcosa di leggero: mangerò un'insalata - disse un po' deluso.

Il ciuccio di Ciccio

Ciccio era un coccodrillino che aveva sempre il ciuccio.

- Sei troppo grande - gli diceva la mamma, e ogni volta cercava di sfilarglielo dalla bocca.

- Andrai a scuola e tutti rideranno di te - insisteva il papà.

- Non credo proprio. E se lo fanno, farò loro capire che sono meno pericoloso con il ciuccio in bocca che senza - diceva il cucciolo mostrando gli affilatissimi dentini.

In realtà Ciccio era buono e non voleva far paura a nessuno. Anzi, per la verità un po' di paura ce l'aveva proprio lui e, anche se non sapeva perché, era il ciuccio che lo faceva

sentire più tranquillo. Era come una spada, ma di gomma: non tagliava eppure lo proteggeva.

- Dobbiamo chiamare l'omino dei ciucci! - decise infine la mamma.

- E chi è? - domandò il papà.

- Non conosci l'omino dei ciucci? - si stupì lei. - È un caro signore che raccoglie i ciucci di quelli che sono troppo grandi per averli. E li porta a quelli che ne hanno bisogno. Il papà la trovò una buona idea e gli telefonò.

- Arrivo subito. Me ne serve urgentemente uno proprio da coccodrillo - rispose l'omino.

La mamma chiamò Ciccio: - Vieni. Ti devo dire una cosa.

- Non sarà ancora la storia del ciuccio, vero? - si insospettì il coccodrillino, che aveva intuito tutto.

- Proprio così: stanno venendo a prenderlo - confessò la mamma.

Ciccio si arrabbiò molto: - Non lascerò mai il mio ciuccio!

- Ascolta. C'è un ospedale dove ci sono tanti cuccioli di tutte le razze. Alcuni sono lì perché sono appena nati e alcuni perché non stanno bene. Tra loro ce n'è uno come te, ma molto più piccolo, che piange perché ha bisogno del ciuccio e non ce l'ha - spiegò la mamma con tono serio.

In quel momento arrivò l'omino. Aveva una divisa e un enorme sacco pieno di ciucci di tutte le forme e dimensioni: ognuno era adatto a un animale diverso.

Allora Ciccio pensò a quel povero coccodrillino ammala-

to che non aveva nessun ciuccio da succhiare per farsi coraggio. Poi guardò l'omino, che capì e sfilò con delicatezza il ciuccio dalla bocca di Ciccio.

- Bravo! Sei un coccodrillino generoso - gli disse.

Mamma e papà applaudirono con gioia: - Siamo fieri di te!

In quel momento Ciccio fece una grande scoperta: senza ciuccio si sorride meglio.

Piko e la bici

- Pistaaaa! - gridava l'elefantino Piko mentre sfrecciava a bordo della sua fiammante biciclettina.
Andava velocissimo, anche se aveva ancora le rotelle.
- È perché sono troppo grosso! - si giustificava. - Se non le avessi non farei altro che cadere.

- Fidati: è ora di toglierle! - disse papà Fante mentre staccava le rotelle alla bici. - Non cadrai se ti appoggi a me.

Piko provò e riprovò a pedalare, ma il sostegno del papà non bastava a tenerlo su.

- Non ci riuscirò mai! - si lamentò.

- Eccomi qui! - intervenne mamma Ele, che si mise anche lei di fianco al suo cucciolo. Piko, ora che aveva il papà da una parte e la mamma dall'altra, sapeva di potercela fare. E in un attimo imparò ad andare da solo.

Lizza e il drago

Lizza da un po' di tempo non voleva andare a dormire.

- Perché non vuoi mai metterti nel tuo lettino? - chiedeva la mamma.

- Non posso dirtelo! - rispondeva lei.

Infine Lizza si decise a parlare.

- Di notte i draghi vanno in giro a spaventare i bambini che dormono. Per questo devo restare sveglia - confessò.

- Ah, capisco! E perché volevi tenere la cosa segreta? - domandò la mamma incuriosita.

- Perché quando pronunci la parola drago, loro ti sentono sempre! E poi vengono a cercarti! - sussurrò Lizza.

Era vero: a Draganza, il paese dei draghi, da millenni gli abitanti stavano a sentire se qualcuno li nominava.

In città era un giorno come tanti: c'era chi volava in uffi-cio, chi passeggiava, chi leggeva il giornale, chi stendeva.

Squamafina, che aveva sentito le parole di Lizza, corse dal re: - Maestà, dicono ancora che spaventiamo i bambini!
- Ancora questa storia ridicola! - esclamò re Drago-magno. - Ma quando capiranno che noi draghi non vogliamo far paura a nessuno. E chi lo dice?
- Una bambina, Lizza - precisò Squamafina.

- Perché non le mandiamo il fido Dragonte? - intervenne Radog, il buffone di corte.

- Ogni tanto anche tu hai una buona idea - si complimentò Dragomagno. Il fido Dragonte era un drago vero, ma fatto di peluche. Il re lo fece chiamare e Dragonte volò da Lizza, che, quando lo vide, si spaventò: - Aiuto! Un drago! - gridò.

- Drago, sì, ma di peluche. Sono venuto fin qui per essere tuo amico e starti vicino. Ok? - puntualizzò Dragonte.

Lizza lo scrutò con attenzione: - Ok! Non sembri cattivo!

Il drago rimase con Lizza, che non ebbe più paura e iniziò a dormire come un ghiro. Mamma e papà erano così contenti che nessuno dei due si chiese da dove veniva quello che per loro era solo un nuovo giocattolo.

Ognuno pensò che l'avesse comprato l'altro.

Cippi diventa sportivo

A Cippi il toporagno piaceva giocare a calcio, ma non era un vero sportivo. - La palla è mia! La voglio io! - gridava ogni volta che i compagni cercavano di fare qualche tiro. - Anche noi siamo della squadra! - protestavano gli altri.

- No! Adesso tocca a me! - insisteva Cippi.

Per non litigare tutti subivano i suoi capricci in silenzio.

Un giorno l'insetto Dodo, famoso per la sua saggezza, passò vicino al campo di calcio mentre Cippi se la prendeva con Lillo: - Il tuo gol non è valido! Volevo farlo io.

- Come vuoi tu. - aveva sussurrato Lillo avvilito.

Dodo allora chiamò Cippi: - Vieni qui, ti devo parlare!

Il toporagno si avvicinò all'insetto gridando - Ti schiaccio!

- Continui a trattare male i tuoi amici! - lo apostrofò Dodo

saltandogli sul naso - Ma loro, invece di lasciarti solo come meriti, ti restano vicino. Non é ora di chiedere scusa?
Cippi si vergognò di se stesso e comprese i suoi sbagli.
A testa bassa tornò in campo. - Perdonatemi. - disse a voce alta perché tutti sentissero bene.
- Dai, giochiamo! - gli rispose la sua squadra in coro.
Quando il portiere parò un suo tiro, Cippi gli disse 'bravo'. - Bravo anche a te! - lo applaudì Dodo dal bordo del campo.

Baba Balena e i giochi di Lapo

Lapo Polipi era molto fortunato: aveva tantissimi giocattoli, così tanti che i suoi genitori dovevano continuamente ingrandire la loro casa sotto il mare per farceli stare tutti.

Però lui non voleva dividerli con nessuno: guai a chi glieli toccava!

In più non era mai soddisfatto: ogni sera, quando tornavano a casa, mamma e papà dovevano portargli un nuovo regalo. Se il dono non era bello e costoso, Lapo metteva il muso e nulla lo rendeva allegro.

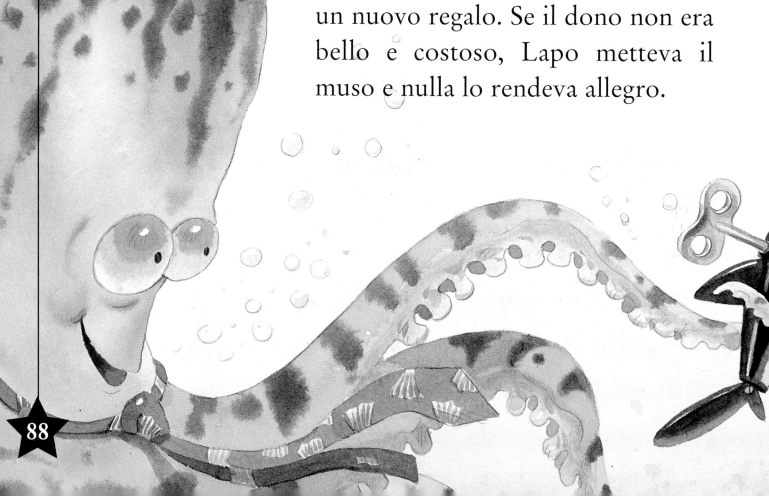

Una sera il signor Polipi portò a casa al figlioletto uno squalo a molla, che a lui sembrava una grande invenzione. Lapo guardò l'oggetto e incrociò i tentacoli deluso. - Tutto qui? - si lamentò con tono di rimprovero.

- Non so più cosa fare! - confidò papà Polipi alla moglie.

- Qui ci vuole Baba Balena! - suggerì lei.

Baba Balena era un'esperta in problemi dei piccoli abitanti del mare. Le telefonarono e le spiegarono il caso.

- Lapo ha troppe cose! - fu la risposta - Bisogna insegnargli a farne a meno. Me ne occuperò io.

Il giorno dopo Baba Balena si presentò a casa Polipi, fece un gran respiro e risucchiò nella sua immensa bocca tutti i giocattoli di Lapo. Il piccolo polipo guardò i suoi oggetti scomparire senza poter fare niente per trattenerli.

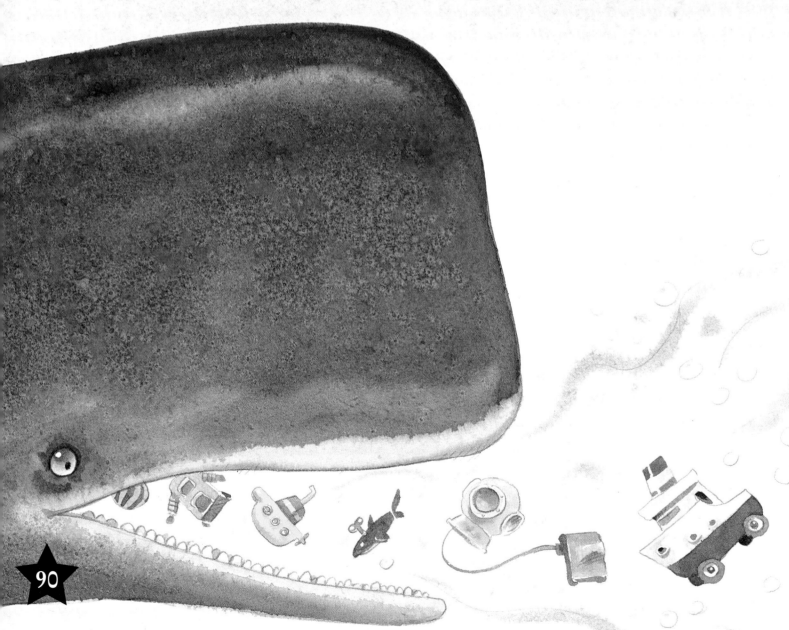

- Addio! - salutò Baba prima di andare - Non soffrire per
ciò che non hai più. Un giorno capirai che non ti serviva.
Lapo pianse a dirotto. Poi vide che Baba non aveva porta-
to via tutto: era rimasta una piccola barchetta di legno. La
raccolse con un tentacolo. - Tutto qui? - gli sfuggì.
Allora lo raggiunse la voce della balena: - Ti basterà, se sei
capace di farla bastare.
Poi Lapo andò nel giardino sottomarino davanti a casa.

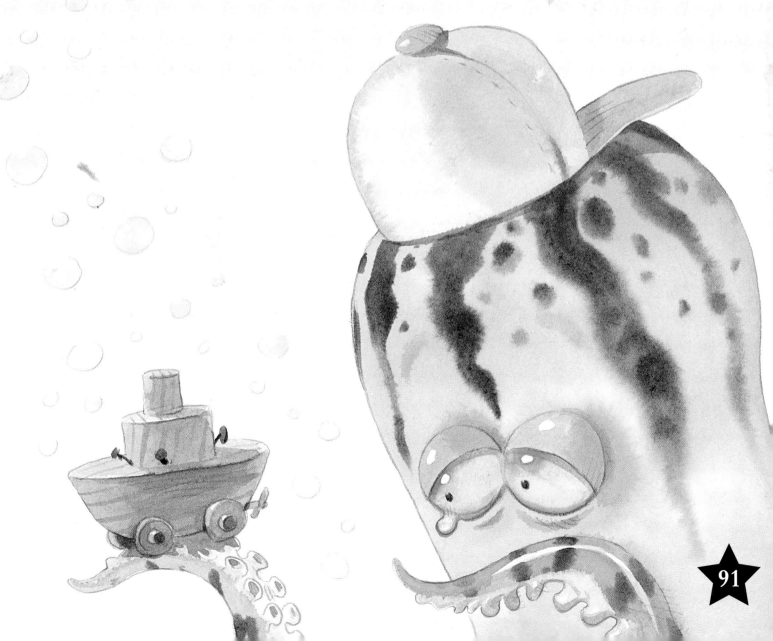

- E ora che me ne faccio di questa? - rimuginava, mentre, seduto per terra, fissava la barchetta.

Una voce suggerì: - Perché non costruiamo una pista?

- E tu chi sei? - chiese Lapo.

- Chico Granchietti. Tu come ti chiami?

- Lapo Polipi. Sai fare una pista?

- Certo. La faremo insieme. - lo rassicurò Chico.

Mentre lavoravano alla pista arrivarono Puccio Cavalluc-cio, Marina Stellina, Gugu Paguro e Ben Pescetti.

- Abbiamo fatto la più colossale pista per barchette di legno che si sia mai vista! - commentò Chico a lavoro finito.

- Ora non ci resta che giocare! - suggerì Puccio.

Giocarono tutto il pomeriggio, tutti insieme, divertendosi.

- Ci vediamo domani. - si accordarono prima di lasciarsi.

Quando tornò a casa, quella sera, Lapo era raggiante.

Portava dei doni: una conchiglia per la mamma e un sasso per il papà. I signori Polipi rimasero senza parole. Da quel giorno Lapo non chiese più regali. O almeno non troppi.

ssssh! silenzio...
il piccolo orsetto
si è addormentato!

LA NINNA-NANNA
DI MAMMA ORSO

Vedo una spada
fatta di viole
in una strada
piena di sole.
Con una pera
tutta dorata
in una sera
addormentata.

Vedo un giardino
verde di prati
e un bel mulino
di panna e gelati.
Con una botte
tutta nera
in una notte
di primavera.

Ma non c'è niente di più amato
del mio bambino che sogna beato.

Sogni d'oro!

mamma Elefante racconta...

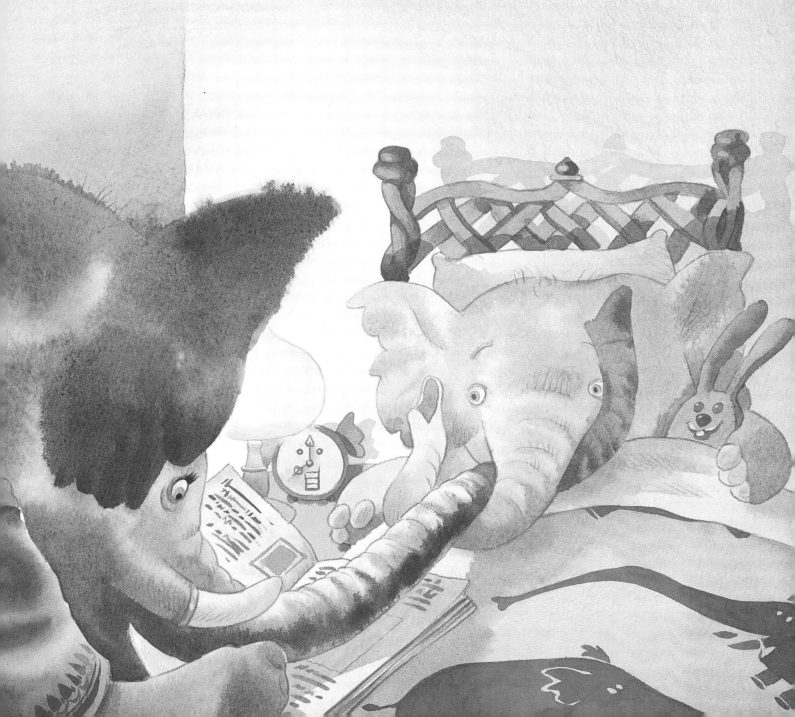

Non è colpa di Kuki!

Kuki viveva con la mamma, il papà, Topo Bau, il suo topolino, e Ruanda, il gatto della mamma.

Kuki combinava continuamente guai, ma non lo faceva apposta: era solo un po' maldestra. E poi c'era quel gatto...
Ruanda era un furbastro:

faceva disastri a mai finire, ma al momento opportuno scappava. E la colpa era sempre di Kuki.

Anche quel giorno era successa la solita cosa.

Ruanda, salito sul tavolo per rubare il burro (era molto goloso di burro), aveva rotto tutte le tazze della colazione e rovesciato lo zucchero.

La mamma era accorsa e lui le era saltato in braccio facendo le fusa. Così la povera bambina stava per essere di nuovo incolpata ingiustamente.

- Guarda cos'hai fatto! - si arrabbiò la mamma.

- Non sono stata io! È stato Ruanda! - protestò Kuki.

- Se rompi qualcosa non importa: ma non sopporto che tu dica bugie! - la rimproverò la mamma. - Come puoi accusare questo adorabile micino? Andrai a letto senza cena!

- Ma è mattina! - puntualizzò la bambina.

- In questo caso fila a scuola! Senza colazione!

E anche senza merendina!

- Tu pure stai attento a ciò che fai!- disse la mamma rivolta a Topo Bau, che stava nascosto dietro la zuccheriera.

Kuki non osò aggiungere una parola e uscì di casa a testa bassa, mentre Ruanda la guardava con aria divertita.

- Brutto gattaccio, qualcuno dovrebbe fartela pagare! - disse Topo Bau, e poi aggiunse: - Devo trovare il modo di dimostrare l'innocenza di Kuki. Ma come?

Ci pensò su e gli venne un'idea. Si procurò un pennello e un po' di Vernic-umid, la vernice che ci mette una

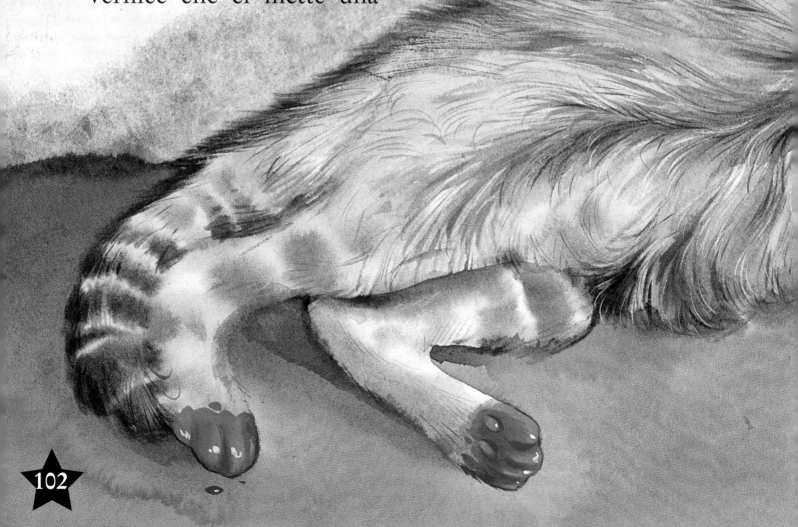

settimana ad asciugarsi (era facile da trovare, perché nessuno la voleva comprare). La mattina dopo all'alba dipinse di blu le zampe di Ruanda, che dormiva beato.

Più tardi la mamma si alzò e apparecchiò la tavola per la colazione. Poi andò a vestirsi per uscire, mentre Ruanda si preparava alla solita scorpacciata di burro. Saltò sul tavolo, restò impigliato nella tovaglia e rovesciò tutto per terra. La mamma arrivò proprio mentre Kuki entrava in cucina.

- Non è colpa mia! - supplicò la bambina,

che temeva di non vedere una merendina per anni.
La mamma la stava già fissando con aria di rimprovero,
quando notò che sul pavimento e sulla tovaglia erano com-
parse alcune macchie. - Sembrano zampe di vernice! -
gridò. - Ruanda, allora sei stato davvero tu!
Kuki ebbe le scuse della mamma e una
doppia razione settimanale di
merendine, che divise con il
geniale Topo Bau.
Ruanda invece mangiò pane e
acqua per un mese.

Raffa la giraffa vanitosa

Raffa la giraffa era da ore davanti allo specchio a guardarsi, pettinarsi e truccarsi. Il suo sogno era fare l'attrice e quel giorno aveva un provino per una parte nel film "Il collo più lungo". Giorgino il topolino era andato ad aiutarla e ogni momento rischiava di finire schiacciato dal peso delle creme, delle spazzole e degli smalti.

- Che te ne pare di questo rossetto? - chiese Raffa.

- Ti sta benissimo! - rispose il topolino. Raffa aveva provato venti rossetti, che a lui erano sembrati tutti uguali.

- Non ce ne sono altri? - domandò.

- Sì, un centinaio, ma non credi di esagerare? - chiese lui.

- Tutto è permesso, per essere belli! - rispose la giraffa.

- Sarà come dici tu! - concluse lui. - Comunque sei in ritardo. Il pulmino del regista passerà tra poco.

- Vedrai che mi aspetteranno - esclamò con sicurezza.

Dopo aver cambiato trenta cappelli e cento collane, Raffa uscì in strada e vide il bus degli attori che se ne andava. Lo rincorse. - Sono qui! Ci ho messo un po' a prepararmi!

- Eravamo stanchi di aspettarti. Sarà per un'altra volta - le gridò il regista Rino salutandola dal finestrino.

In quel momento scoppiò un temporale, che in un attimo afflosciò il cappello e sciolse il trucco di Raffa.

- Sono un disastro! - piagnucolò la giraffa.

Giorgino la raggiunse e le regalò dei fiori: - Non importa l'aspetto: per me sei sempre la migliore!

Raffa era certa di non aver mai ricevuto un complimento più bello.

I denti di Pinno

Un giorno, nel profondo del mare, nacque uno squaletto felice. Era tanto allegro che i suoi genitori non trovavano il coraggio di dirgli che gli squali sono animali temuti da tutti gli abitanti degli abissi. Speravano che non volesse mai uscire a giocare. Ma un pomeriggio Pinno vide alcuni cuccioli di delfino che si rincorrevano proprio davanti alla sua tana.

- Posso andare da loro? - chiese lo squaletto.

- Sì, certo - disse la mamma a malincuore. Immaginava cosa poteva accadere, ma non voleva deludere il suo piccolo. Pinno uscì e andò incontro sorridendo a quelli che sperava diventassero suoi amici. Ma, appena lo videro, i delfini e tutte le altre creature scapparono via.

- Aiuto! Uno squalo!- gridò Saro il calamaro.

- Che bocca! - rabbrividì Marino il delfino.

- Ehi, tornate qui! Perché ve ne andate? - si stupì Pinno.

Tutti scomparvero e lo squaletto tornò a casa.

- Non vogliono che mi avvicini! Perché, mamma? - chiese.

- Hanno paura dei nostri denti affilati - confessò lei.

- Ma io non volevo spaventarli. Stavo solo sorridendo - si giustificò Pinno.

- Siamo destinati a essere soli: ti dovrai abituare - concluse mamma squalo.

Pinno da allora iniziò a guardare gli altri giocare rimanendo ben nascosto dietro un grosso sasso.

Era un modo per non sentirsi solo, anche se era così triste che la sua pinna dorsale si era irrimediabilmente piegata.

Ma un giorno vide i minacciosi tentacoli di una piovra gigante avvicinarsi a Marino il delfino, imprigionandolo per la coda: il povero animale era perduto. I compagni di gioco erano scomparsi. Pinno non ci pensò due volte e si gettò contro il terribile predatore.

- Ci sono io, adesso! - disse Pinno spalancando la bocca.
Il coraggioso squaletto si avventò con tutta la sua forza contro il tentacolo della piovra e gli diede un gran morso.
- Ahioooooo! - gridò il gigantesco animale, mentre batteva in ritirata. Pian piano tutti gli animaletti uscirono dai loro nascondigli e si congratularono con Pinno.
Marino, ormai libero, guardò con ammirazione lo squaletto.
- Mi hai salvato la vita! Voglio dirlo a tutti! - disse soffocandolo in un grande abbraccio. - Mi chiamo Marino. Tu chi sei?

- Pinno - sussurrò quel pesce dal cuore tenero, che si era fatto piccolo per la timidezza.

- Sarò tuo amico per sempre, Pinno. Parola di delfino - proclamò Marino.

La parola di un delfino, si sa, nel mare è legge. Così Pinno non fu più solo.

Non era difficile vederlo giocare al salta-murena insieme a Marino, a Murina la murena e a Marina, la gemella di Marino.

Pinno ritrovò la sua allegria di sempre.

Quando rideva, i suoi affilatissimi denti bianchi per gli amici risplendevano come perle.

Dun Dun e la mappa

Quando scoppiò il grande incendio, Dun Dun l'uccello kiwi era in giro a giocare con i suoi amici: Gunka il canguro, Amì il casuario, i koala Koko e Kiko, Alfredo il topolino, Kira l'uccello del paradiso e Filli il cigno nero.

\- Presto, scappiamo! - gridò Gunka.

\- E dove? Qui sta bruciando tutto! - osservò Koko.

\- Laggiù! Vedo una caverna! - esclamò Dun Dun.

Una volta arrivati al riparo della grotta, si guardarono indietro: altissime fiamme ormai avvolgevano l'intera foresta.

\- Dobbiamo allontanarci il più possibile da qui, prima che il fumo ci soffochi. Ma come? - sospirò Amì.

Dun Dun indicò qualcosa su una parete: - C'è un graffito.
È una mappa per uscire da qui - osservò.
- Come fai a esserne così sicuro? - domandò Kira.
Dun Dun era un tipo assai distratto: nessuno pensava che

potesse trovare qualcosa di importante.

- Noi uccelli kiwi non sappiamo volare, ma da millenni siamo capaci di interpretare i disegni - rispose Dun Dun.

- E i coccodrilli, i pipistrelli e le trappole disseminate ovunque? - chiese Kiko guardando la mappa.

- Non fare il difficile. Non avrai paura di due coccodrilli, vero? - minimizzò Filli.

- Quegli animali non ci sono: sono stati disegnati per far capire che il percorso è lungo e difficile - spiegò Dun Dun.

- Non abbiamo scelta: dobbiamo fidarci di Dun Dun! - concluse Filli mentre un brivido le correva lungo le penne.

- Cerchiamo l'ingresso del tunnel e andiamo - suggerì

Alfredo, mentre lingue di fuoco invadevano il rifugio.

- L'ho trovato, è qui! - urlò Kira indicando un foro.

- Non è un po' buio? - domandò Amì.

- Direi che è molto buio - osservò Kiko.

- Fin troppo buio. Io lì non ci entro! - protestò Alfredo.

Allora Dun Dun uscì, raccolse un ramo in fiamme e rientrò:

- Ecco una fiaccola! - disse porgendo il legno a Kiko. - Ora seguitemi in fila indiana!

Gli animali si misero in marcia dietro Dun Dun. Kira volava sopra la sua testa.

- Camminiamo da ore e non si vede niente - si lamentò Filli.

- Beh, almeno non c'erano trappole - osservò Gunka.

- E dei coccodrilli del disegno nemmeno l'ombra, per fortuna. Dun Dun aveva visto giusto - disse Amì.

- Non c'erano ostacoli. Ma ci sarà l'uscita? - domandò Kiko con un po' di preoccupazione. All'improvviso Kira gridò: - Siamo salvi: sento l'odore dell'aria fresca.

- Però non si vede nessuna luce! - osservò Kiko.

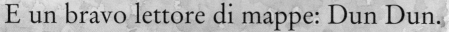

- Guardate! - esclamò Dun Dun.

- Un raggio di sole! - esultò Gunka.

In fondo al cunicolo scuro trovarono tutto: luce, aria, una foresta e perfino il fiume. Niente fuoco né fumo: solo tanto verde. Gli animali avevano trovato una nuova casa. E un bravo lettore di mappe: Dun Dun.

Rino e Ronte

Rino e Ronte discutevano sempre, un po' perché i rinoceronti sono molto litigiosi e un po' perché erano fratelli. Quando giocavano, finivano il più delle volte per prendersi a cornate. Un giorno, mentre si sfidavano in una gara di corsa, Rino inciampò e pestò una zampa a Ronte.

- Scusa! - disse Rino. Ma non bastò.

- Scuse rifiutate! - rispose Ronte con rabbia.

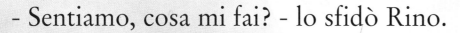

- Sentiamo, cosa mi fai? - lo sfidò Rino.

- Ti mordo un orecchio! - esclamò Ronte.

- Non mi fai paura! - lo schernì Rino.

- Ora ti faccio vedere io! - sibilò Ronte avvicinandosi al fratello con fare minaccioso.

Le loro corna si incrociarono, ma durante la lotta Rino precipitò in qualcosa di profondo.

- Aiuto! - gridò.

Ronte si avvicinò all'orlo della buca e capì che suo fratello era finito in una trappola.

- Sono qui, non ti lascio solo - lo rassicurò Ronte. Con terrore sentì i passi del cacciatore che arrivava. Quello sì che era un pericolo vero! Proprio in quel momento notò un grosso legno. - Ecco ciò che fa per me! - disse. Trascinò il pesante ramo fino alla buca, lo trattenne per un'estremità e porse l'altra a Rino. - Presto, aggrappati! - gli disse.

Poi tirò con tutte le sue forze. Ronte, sentendo il cacciatore dietro di sé, con un ultimo sforzo fece risalire Rino.

I due fuggirono, lasciando il cacciatore a mani vuote.

- Oggi ho capito che è importante andare d'accordo - disse Ronte. - E che è sciocco litigare sempre - concluse l'altro.

Così da quel giorno giocano sempre insieme da bravi fratelli.

Uno spazzolino per Giando

Giando Cagnoni era certamente il cane più testardo del mondo: quando non voleva fare qualcosa non c'era verso di convincerlo. E, se c'era una cosa che Giando non voleva fare, era lavarsi i denti.
- No! - ululava disperato ogni sera alla vista dello spazzolino, che di per sé era minaccioso, ma lo sembrava ancora di più con sopra tutto quel dentifricio alla menta.
Giando teneva la bocca così chiusa che non poteva entrarci nemmeno un granello di

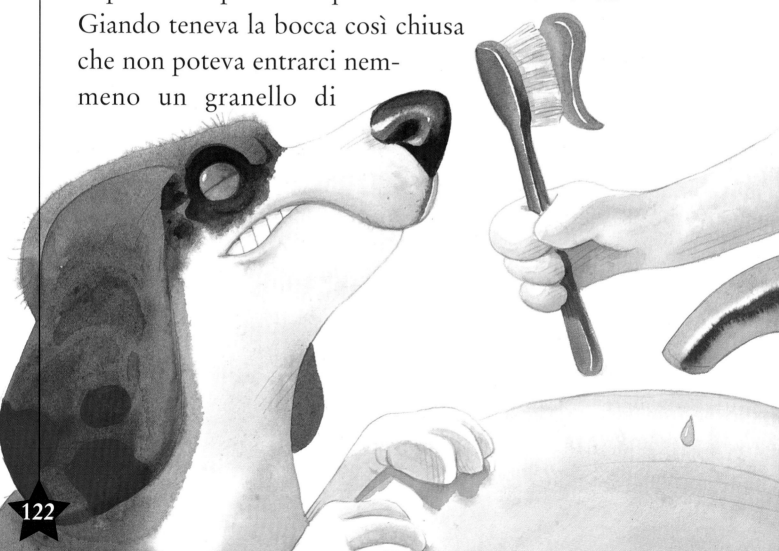

polvere. La signora Cagnoni aveva provato di tutto.

- Basta! Devi pulirti bene i dentini! O non avrai più un biscotto! - urlò una sera.

- Mangerò le brioche - rispose Giando.

- Niente brioche! - replicò la mamma.

- Tanto non ho fame! - tagliò corto il cagnolino.

- Se continui così, ti cadranno tutti i denti. Per te ci saranno solo brodini e minestre - gli disse minacciosa.

Giando immaginò di diventare un vecchio cane sdentato.

- Beh, manca così tanto tempo! - disse infine scacciando il pensiero. - E poi posso sempre bere cioccolata e mangiare gelati.

La mamma cercò allora di spaventarlo: - Avrai i denti così brutti e sporchi che nessuno vorrà più parlare con te!

- Starò zitto! - commentò lui con indifferenza.

- Ora basta! Passerai sui libri tutti i pomeriggi fino a quando non ti sarai lavato i denti! - ordinò la mamma esasperata. Questa per Giando era davvero una punizione terribile, ma piuttosto che obbedire studiò per ben tre giorni. Fu proprio allora che la signora Cagnoni ebbe una grande idea.

- Invece di provare a convincerlo, gli vieterò di lavarsi i denti. Chissà che così non riesca a ottenere quello che voglio... - pensò.

La mattina seguente entrò nella

stanza di Giando e disse: - Ti proibisco di lavarti i denti.
Guai se ti vedo con lo spazzolino e il dentifricio!
Mentre usciva, con la coda dell'occhio vide Giando sgat-
taiolare in bagno.
- Ti faccio vedere io! - disse il cagnetto, mentre
spalmava montagne di dentifricio su tutti gli spaz-
zolini di casa. Poi si lavò i denti non una, ma
ben tre volte.
- Ciao mamma, io vado a
scuola - gridò, e poi sotto-
voce: - Sono stato furbo!
- E io no? - sorrise la
mamma trionfante.

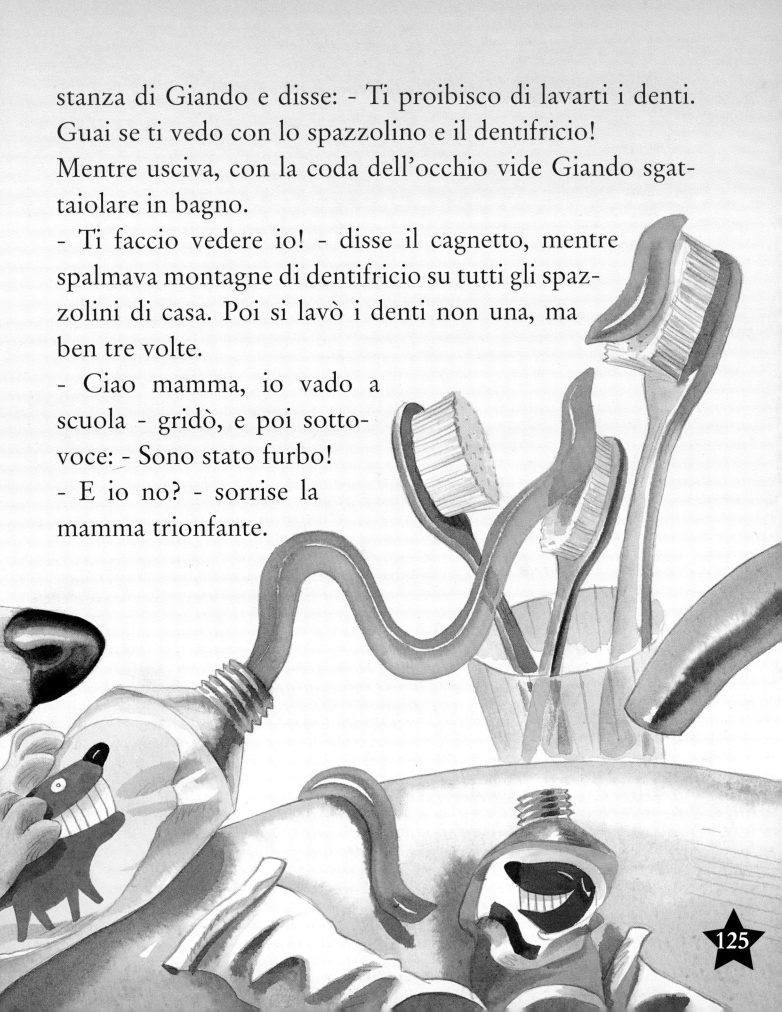

LA NINNA-NANNA
DI MAMMA ELEFANTE

Non so dove si nasconda
questa bianca luna tonda.
Sta dormendo dietro il monte
o è finita sotto il ponte?
L'ha mangiata forse un drago
o si culla dentro il lago?
Non fa niente se ora è via:
ciò che importa è che ci sia.
E se tu ora ci credi, ci scommetti che la vedi?

INDICE

Testi: Clementina Coppini
Illustrazioni: Matt Wolf

© 2003 Giunti Editore S.p.A., Firenze - Milano
Prima edizione: 2001 Dami Editore

Ristampa	Anno
3 2 1 0	2006 2005 2004 2003

Stampato presso Giunti Industrie Grafiche S.p.A. – Stabilimento di Prato